W9-AON-294

Argonne, 12/14/91

Dear Sam,

With this little book about my hometown
I want to say thank you
for the wonderful and exciting time
I have spent in your group

Andreas

# Duisburg

Sachbuchverlag Karin Mader

Fotos:
Franziska Törring

Text:
Martina Wengierek-Schlüsselburg

Grasberg 1989


Übersetzungen:
Englisch: Michael Meadows
Französisch: Mireille Patel

Printed in the Federal Republic of Germany

ISBN 3-921957-27-3

Bisher sind erschienen:

Aachen
Aschaffenburg
Baden-Baden
Bad Homburg v.d.H.
Bielefeld
Bonn
Bremen
Bremerhaven
Celle
Darmstadt
Darmstadt und der Jugendstil
Duisburg
Düsseldorf
Essen
Flensburg
Fulda
Gießen
Göttingen
Hagen
Hamburg
Hameln
Hannover
Herrenhäuser Gärten
Heidelberg
Kaiserslautern
Kassel
Kiel
Koblenz
Köln
Krefeld
Limburg a.d. Lahn
Lübeck
Lüneburg
Mainz
Mannheim
Marburg
Mönchengladbach
München
Münster
Oldenburg
Paderborn
Recklinghausen
Siegen
Solingen
Trier
Ulm
Wiesbaden
Der Rheingau
Das Lipperland

Titelbild:
Das Rathaus

instige Hansestadt liegt immer noch voll im
. Duisburg hat im Lauf seiner Geschichte,
genaue Wurzeln noch im Dunkeln liegen,
ilität bewiesen. Das half überleben: Ob
bettverlagerung, Stahlkrise oder Zechen-
n – nie wurde gekrebst, sondern geklotzt.
eale Lage an der Mündung der Ruhr in
iederrhein machte Duisburg als Handels-
a unentbehrlich. Heute steht die Stadt an
Stelle der deutschen Stahlerzeugung und
gt über das größte Binnenhafensystem der
Dennoch ist Duisburg ein Industriestand-
it Lebensqualität: 40 Prozent seiner Fläche
en Grünanlagen und Seen ein, so daß die
urger ihrer Stadt auch nach Feierabend
treu bleiben.
ulturelles Zentrum nimmt Duisburg im
gebiet eine herausragende Stellung ein. Das
ertreffen „Duisburger Akzente", die
che internationale Kinderbuchausstellung
die Jazz- und Folk-Festivals in Moers sind
ber die Grenzen hinaus bekannt.
urg hat 528000 Einwohner und ist damit
ftgrößte Stadt der Bundesrepublik.

The former Hanseatic city is still as much of a trend-setter as ever. In the course of its history, whose roots are still shrouded in darkness, Duisburg has demonstrated flexibility. This has helped it to survive: Whether it was the displacement of the Rhine river bed, the steel crisis or the decline of the coal mines – the city didn't struggle, it set its shoulder to the wheel. The ideal location at the point where the Ruhr flows into the Lower Rhine made Duisburg indispensable as a trade mecca. Today the city occupies first place in German steel production and possesses the largest inland harbor system in the world. Nevertheless, Duisburg is an industrial location with quality of life: 40 per cent of its area is taken up by green spaces and lakes so that Duisburg residents remain true to their city even during their leisure time.
Duisburg enjoys an outstanding position in the Ruhrgebiet as a cultural center. The theater encounter "Duisburger Akzente", the annual international children's book exhibition as well as the jazz and folk festivals in Moers are known far beyond the city limits.
Duisburg has a population of 528,000 and is thus the eleventh largest city in the Federal Republic of Germany.

La ville hanséatique de jadis est encore bien dans le vent. Au cours de son histoire dont les origines sont encore mal connues, Duisburg a fait preuve de flexibilité. Ceci l'a aidée a survivre: Quel qu'ait pu être le défi, déplacement du lit du Rhin, crise de l'acier, mort des houillères – elle prit le taureau par les cornes. Sa situation idéale au confluent de la Ruhr et du bas Rhin en fit une Mecque immortelle du commerce. Aujourd'hui elle est en première place pour la production de l'acier en Allemagne et dispose du plus grand système portuaire fluvial du monde. Pourtant cette ville industrielle n'a pas négligé la qualité de vie: 40 pour cent de sa surface comprend des espaces verts et des lacs de sorte que ses habitants restent fidèles à leur ville même après leur travail.
Duisburg est un centre culturel de tout premier ordre dans la Ruhr. Les rencontres théâtrales «Duisburger Akzente», l'exposition annuelle internationale du livre d'enfants de même que les festivals de jazz et de musique folk à Moers sont bien connus au-delà des frontières.
Duisburg a 528000 habitants. C'est donc la onzième ville d'Allemagne.

# City in modernem Gewand

Vom Hauptbahnhof (oben) ist es nur ein Katzensprung bis zur Duisburger City. Attraktive Geschäftszentren wie die Averdunk- und die Tonhallenpassage (rechts) machen selbst müde Pflasterhelden munter.

From the main railway station (above) it's only a stone's throw to Duisburg's center. Attractive shopping areas, such as the Averdunk and Tonhallen-Passage (on right), perk up even tired pedestrians.

De la gare (ci-dessus) il n'y a qu'un pas au centre ville. Des magasins attrayants dans Averdunk et Tonhallenpassage, par exemp droite), réjouissent même les citadins les p blasés.

Saunarium
Saunarium
DAK
DAK
KOKE

Zu einer Atempause beim Einkaufsbummel lädt der skulpturenreiche Immanuel-Kant-Park ein. Sollten Sie hier neben sitzenden Zeitgenossen auch einer „Großen Knienden" begegnen, sind Sie dem Duisburger Bildhauer Lehmbruck auf der Spur, dem ein Museum im Park gewidmet ist.

The Immanuel-Kant-Park with its many sculptures is an inviting spot to take a break while shopping. If you should also encounter a "Large Kneeling Person" here, in addition to seated ones, you are on the trail of the Duisburg sculptor, Lehmbruck, to whom a museum in park is dedicated.

Le parc Immanuel-Kant, aux nombreuses sculptures, invite les acheteurs pressés à reprendre souffle. Si vous rencontriez, en p de vos contemporains assis, un «Grand Ag nouillé, vous seriez sur les traces du sculpte de Duisburg Lehmbruck auquel est dédie u musée dans le parc.

Gut „beschirmt“ läßt es sich unter den Vordächern in der Düsseldorfer Straße selbst bei Regen gemütlich flanieren.

“Well-protected” under the canopies, you can have a pleasant stroll in Düsseldorfer Straße even in rainy weather.

Bien abrité par les auvents dans la Düsseldorfer Straße, on peut flâner tranquillement même par temps de pluie.

Sattsehen und müdelaufen – auch am Sonne
wall kein Problem. Nicht immer ist allerdin
Partner zur Hand, der einen beim Stöbern u
Staunen zur rechten Ausdauer verhilft …
Die Königstraße ist Shopping-Boulevard Nu
mer eins – besonders für die Zaungäste in d
Cafés.

Getting one's fill of sights and tired feet fron
walking – no problem at Sonnenwall. Howe
you don't always have a partner at your side
assist in providing the necessary endurance
looking around and taking in the surround-
ings …
Königstraße is shopping boulevard number
especially for café guests with a good view o
street.

Marcher et tout voir n'est pas un problème
la Sonnenwall. Cependant on n'a pas toujou
partenaire sous la main qui vous aide à trou
l'endurance nécessaire.
La Königstraße est très appréciée pour faire
emplettes – surtout par les badauds dans les
cafés.

Haita

Beim Stadtbummel merkt man recht schnell, daß Duisburg nicht nur Kohle- sondern auch Kulturrevier ist. Daran erinnert auch diese Stahlblech-Plastik eines italienischen Bildhauers mit dem Titel „Dramatische Gelegenheit“, die den König-Heinrich-Platz ziert.

When strolling around the town, you quickly notice that Duisburg is not only a coal mining area but also a cultural center. This sheet steel sculpture, created by an Italian sculptor with the title “Dramatic Occasion”, reminds one of this as it adorns König-Heinrich-Platz.

En se promenant dans la ville, on remarque vite que Duisburg n’est pas seulement le fief du charbon mais que c’est aussi celui de la culture. Ces statues en tôle d’acier sur la place König-Heinrich, œuvres d’un sculpteur italien et intitulées «Occasion Dramatique», nous le rappellent.

:h nebenan lockt die Mercatorhalle die
.cher mit einem vielseitigen Veranstaltungs-
ramm. In dem Gebäude aus dem Jahr 1962
:n Kongresse und Konzerte, Sportwett-
pfe und Shows statt.

Right next to it the Mercatorhalle attracts visitors with a diverse program of events. Conventions and concerts, sports competitions and shows take place in this building, which dates from 1962.

Juste à côté, le Mercatorhalle attire les visiteurs avec des programmes très variés. Dans cet édifice qui date de 1962, ont lieu des congrès, des concerts, des compétitions sportives et autres spectacles.

Duisburgs Altstadt versank im Bombenhagel des Zweiten Weltkrieges. Zu den wenigen Überbleibseln zählt das Dreigiebelhaus, 1536 erstmals urkundlich erwähnt und heute ältestes Wohnhaus der Stadt. Hier haben bildende Künstler ihr Zuhause.

Duisburg's Old Town sank under a hail of bombs during the Second World War. The "Dreigiebelhaus", first mentioned in a document in 1536 and today the oldest residential house in the city, is among the few surviving remnants. Artists have their home here.

La vieille ville de Duisburg s'écroula sous la pluie de bombes de la Deuxième Guerre Mondiale. La Dreigiebelhaus, mentionnée pour la première fois dans les chroniques en 1536 et plus vieille maison d'habitation de la ville, en est l'un des rares vestiges. Des peir et des sculpteurs y habitent.

burg hat gleich zwei Wahrzeichen: das
aus aus dem Jahre 1902 und den Mercator-
nen, den der Düsseldorfer Joseph Reisz
schuf. Das reizvolle Ensemble schmückt
Burgplatz, die historische Keimzelle der
t. Früher erhob sich hier die fränkische
gspfalz.

Duisburg has two landmarks: the Town hall dating from 1902 and the Mercator Fountain, which the Düsseldorfer, Joseph Reisz, created in 1878. The charming ensemble adorns Burgplatz, the historic germ cell of the city. The Frankish royal palace used to stand here.

Duisburg a deux emblèmes: l'hôtel de ville de 1902 et la fontaine Mercatorbrunnen, exécutée par l'artiste de Düsseldorf Joseph Reisz en 1878. Ce bel ensemble orne la Burgplatz, le noyau historique de la ville. Ici s'élevait jadis le palais du roi franc.

# Kommerz und Kultur

Als wirtschaftliches Ballungszentrum brauchte Duisburg problemlose Verkehrsanbindungen. So entstand die Stadtautobahn mit der Berliner Brücke, die mit 1824 Metern zu den längsten Straßenbrücken Europas gehört. Seit Beginn der 80er Jahre sorgt die Stadtbahn, die teilweise unterirdisch verläuft, für mehr Luft zwischen den Häuserzeilen.

As an economic center of industry and population, Duisburg needed practical traffic connections. Thus the urban highway was constructed with the Berliner Bridge, which, having a length of 1824 meters, is one of Europe's longest road bridges. Since the beginning of the 80's, the urban highway, part of which runs underground, has provided for more air between the rows of houses.

Etant une grande agglomération économiq Duisburg devait être reliée de façon pratiq aux grandes voies de communication. C'es ainsi que l'on construisit le pont Berliner Brücke long de 1824 mètres et le plus long pour la circulation automobile d'Europe. Depuis le début des années 80, le train urb qui passe en partie sous terre allège aussi la circulation.

Duisburgs Gesicht ist geprägt durch die Industrie. Zwar hat der Bergbau seit den 60er Jahren an Bedeutung verloren, doch Stahl und Chemie halten den Wirtschaftspuls in Gang. Die Stadt ist Sitz weltbekannter Unternehmen wie Thyssen, Mannesmann, Krupp und Klöckner, deren Hochhäusern man überall begegnet.

Duisburg's face is characterized by industry. Coal mining may have lost significance since the 60's, but the steel and chemical industries keep the economic pulse of the town in gear. The city is the location of the headquarters of companies known all over the world, like Thyssen, Mannesmann, Krupp and Klöckner, whose high buildings are encountered everywhere.

L'aspect de Duisburg est marqué par l'industrie. Les mines, il est vrai, ont perdu de l'importance depuis les années 60 mais l'acier et la chimie continuent à faire battre le pouls économique de la ville. Elle est le siège économique de sociétés connues dans le monde entier comme Thyssen, Mannesmann, Krupp et Klöckner dont ont rencontre partout les buildings.

Wo Hütten- und Walzwerke, Schiffbau-, Erdöl- und Nahrungsmittelindustrie florieren, sind glänzende Fassaden nicht weit. Die wirtschaftliche Dynamik schlägt sich auch im Stadtbild nieder, wo moderne Komplexe, wie hier das Postgebäude, entstanden.

Wherever smelting and rolling mills, shipbuilding, oil and food industries prosper, you can be sure that gleaming facades are not far away. The economic dynamics are also reflected in the panorama of the city where modern complexes were set up, such as the post office building here.

Là où les hauts fourneaux, les laminoirs, les constructions navales, les industries pétrolièr alimentaires florissent, les façades brillantes sont pas loin. Le dynamisme économique se reflète dans l'aspect de la ville où ont surgi d complexes modernes comme l'édifice de la P

burgs Tradition als Universitätsstadt reicht
s Mittelalter zurück. Nach 163 Jahren
ten sich die Studenten 1818 nach einer
ren Bleibe umsehen, denn ihre Alma Mater
le nach Bonn verlegt. Erst 1972 öffneten sich
er Hörsäle – für mittlerweile 12000 Studen-

Duisburg's tradition as a university town dates back to the Middle Ages. After 163 years students had to look around for another domicile in 1818 because their alma mater was transferred to Bonn. It was not until 1972 that lecture halls were again opened – now for 12,000 students.

Les traditions de ville universitaire de Duisburg remontent au Moyen Age. Pourtant, en 1818, après 163 ans, les étudiants durent s'exiler car leur Alma Mater avait été transférée à Bonn. Ce n'est qu'en 1972 que l'université fut réouverte. Elle compte maintenant 12000 étudiants.

Die Rheinruhrhalle ist der größte Mehrzweckbau Duisburgs, den inzwischen nicht nur Sportler für ihre Wettkämpfe, sondern auch die TV-Gewaltigen für ihre Unterhaltungsshows entdeckt haben. Im Zuge der Eingemeindung kam die Rheinhausenhalle als Forum hinzu.

The Rheinruhrhalle is Duisburg's largest multipurpose building, which has not only been discovered by athletes for their competitions, but also by TV personalities for their shows. In the course of incorporation of additional districts into Duisburg's city limits, the Rheinhausenhalle was added as a forum.

Le Rheinruhrhalle est le plus grand édifice utilisations multiples de Duisburg. Non seu ment les sportifs l'ont découvert pour leurs compétitions, mais aussi les stars de la télé leurs grands spectacles. A la suite de la réfc administrative, le Rheinhausenhalle qui sei forum, lui fut ajouté.

ɜr den großen Theatern der Welt ist sie ein
ɛum: die „Deutsche Oper am Rhein", die
Duisburg und Düsseldorf gemeinsam
ieben wird und zu den national führenden
nen zählt. Hinter der neoklassizistischen
ade an der Ruhr feiern auch die traditions-
ıen Duisburger Sinfoniker Erfolge.

It is unique among the great theaters of the world: the "German opera house on the Rhine", which is run jointly by Duisburg and Düsseldorf and is one of the leading stages in the country. Behind the neoclassicist facade on the Ruhr the Duisburg Symphony Orchestra with its long tradition also celebrates success after success.

Parmi les grands théâtres du monde l'«Opéra Allemand sur le Rhin» est unique en son genre. Il est géré conjointement par Duisburg et Düsseldorf et compte parmi les principales scènes d'Allemagne. Derrière la façade néo-classique, Duisburg qui a une vieille tradition musicale, remporte de grands succès symphoniques.

An den berühmten Sohn der Stadt erinnert das Wilhelm-Lehmbruck-Museum, in dem internationale Skulpturen, Gemälde und Objektkunst des 20. Jahrhunderts zu bewundern sind. Faszinierende Gegensätze: Neben den Werken Lehmbrucks, der 1881 in Duisburg geboren wurde, stößt der Besucher auch auf Zeitgenössisches wie hier in einer Beuys-Ausstellung.

The Wilhelm-Lehmbruck-Museum, in which international sculptures, paintings and art objects of the 20th century can be admired, is a memorial to the famous son of the city. Fascinating contrasts: Besides the works of Lehmbruck, who was born in Duisburg 1881, the visitor also encounters contemporary art, such as here in a Beuys exhibition.

Le musée Wilhelm-Lehmbruck rappelle le célèbre fils de la ville. On peut y admirer ur collection internationale de sculptures et de peintures du 20e siècle. Contrastes fascinan côté des œuvres de Lehmbruck qui naquit à Duisburg en 1881, le visiteur rencontre des œuvres contemporaines, comme ici, dans ce exposition de Beuys.

GERARD MERCATOR
Portrait Gerhard Mercators (1512—1594). Kupferstich von Nicolaus Larmessin (132 x 180 mm).

Das Niederrheinische Museum beherbergt stadtgeschichtliche und kartographische Sammlungen, die das Schaffen des Mathematikers und Astronomen Gerhard Mercator in dieser Stadt dokumentieren.

The Niederrheinische Museum contains town history and cartographical collections that document the creations of the mathematician and astronomer, Gerhard Mercator, in this city.

Le Niederrheinische Museum abrite des collections sur l'histoire de la ville. Des collections cartographiques documentent l'œuvre du mathématicien et astronome Gerhard Mercator qui vécut à Duisburg.

Dieses Haus aus dem vorigen Jahrhundert ist der Geschichte Königsbergs und Ostpreußens gewidmet. Seit seiner Einweihung 1968 als Museum soll es Eindrücke der untergegangenen Großstadt vermitteln, für die Duisburg 1952 eine Patenschaft übernahm.

This house dating from the previous century is dedicated to the history of Königsberg and East Prussia. Since its inauguration as a museum in 1968, it has conveyed impressions of the big city, which has undergone decline and for which Duisburg took up sponsorship in 1952.

Cette maison du siècle dernier est dédiée à l'histoire de Königsberg et de la Prusse Ori tale. Le musée inauguré en 1968 rappelle c ville au passé glorieux. Depuis 1952 elle est jumelée avec Duisburg.

Neben Kostbarkeiten aus der Zeit Immanuel Kants, 200 Königsberger Ansichtskarten und dem geretteten Hauptschlüssel der Universität ist das Bernsteinzimmer magischer Mittelpunkt. Die Obstholzmöbel mit Bernsteineinlagen wurden für die Pariser Weltausstellung des Jahres 1900 in Königsberg gefertigt. Eine Inklusensammlung von 118 Stück gehört zu den wertvollsten Exponaten.

In addition to the precious objects from the time of Immanuel Kant, 200 Königsberg postcards and the rescued main key of the university, the Bernstein (Amber) Room is the magic focal point. The furniture, made of the wood of fruit trees and containing amber inlay work, was made in Königsberg for the 1900 Paris Exposition. A collection of 118 pieces is one of the most valuable exhibits.

En plus des objets précieux du temps d'Immanuel Kant, 200 cartes postales de Königsberg et la clé principale de l'université, la salle d'ambre exerce un attrait magique. Les meubles en bois d'arbre fruitier avec des incrustations d'ambre furent exécutés à Königsberg pour l'Exposition Universelle de Paris de 1900. Une collection de 118 pièces compte parmi les plus importantes du musée.

Ein Ausflug in die Vergangenheit der deutschen Binnenschiffahrt lohnt sich. Das Museum in Ruhrort beschäftigt sich anschaulich mit diesem Thema: Am Modell wird etwa die Treidelschifffahrt wieder lebendig.

An excursion into the past of German inland shipping is worthwhile. The museum in Ruhrort offers vivid displays on this theme: Towing vessels, for example, are brought back to life using models.

Une excursion dans le passé de la navigatic fluviale en Allemagne est chose fort intére: sante. C'est le thème illustré par le musée : Ruhrort: des maquettes y font revivre le halage.

ɜich nicht mit Kleinformatigem begnügen
kann sich auf der „Oscar Huber“ in die
Zeiten zurückversetzen lassen. Der Rad-
ppdampfer aus dem Jahr 1922 und der
pfbagger „Minden“ von 1882 liegen für
ɬeute“ auf dem Rhein auf Reede.

Those who are not content with small-scale objects can let themselves be taken back to the old days on the "Oscar Huber". The paddle-steamer tugboat dating from 1922 and the steam dredger "Minden" from 1882 lie in the roads on the Rhine for viewers.

Qui ne se contente pas des bateaux de petit format peut rêver du bon vieux temps à bord de l'«Oscar Huber». Ce bateau à aubes de 1922 et la péniche à vapeur «Minden» de 1882 sont au mouillage sur le Rhin pour les marins d'eau douce.

# Das Herz schlägt im Hafen

Seine verkehrsgünstige Lage hat Duisburg schon im frühen Mittelalter zum regen Handelsplatz werden lassen. Kohleabbau führte 1716 zur Schaffung des ersten Hafens in Ruhrort, der mit der wachsenden Bedeutung des Ruhrgebietes während der Industrialisierung expandierte. Heute sind die Duisburger Häfen das größte

Its favorable location regarding transportation made Duisburg an active trading center even in the early Middle Ages. In 1716 coal mining led to creation of the first habor in Ruhrort, which expanded with the growing importance of the Ruhrgebiet during the Industrial Revolution. Today Duisburg's harbors comprise the largest

Duisburg doit à sa situation géographique d'avoir été, dès le haut Moyen Age, un lie commerce très actif. L'exploitation du cha mena à la création, en 1716, du premier p Ruhrort. Il s'agrandit à mesure que la régi la Ruhr prenait de l'importance avec l'ind alisation. Aujourd'hui les ports de Duisbu

enhafensystem der Welt. Dieser Verkehrs-
enpunkt ist über den Rhein-See-Verkehr
len Märkten in aller Welt verbunden. Rund
illionen Tonnen Massengüter werden hier
ich umgeschlagen. Tip für Nachtschwärmer:
Dunkelheit besehen, wirkt der Hafen
lezu romantisch.

inland harbor system in the world. This traffic junction connects to markets all over the globe via Rhine-overseas traffic. Roughly 50 million tons of bulk goods are handled here annually. A tip for nighttowls: Under darkness the habor has quite a romantic appearance.

constituent le plus grand système portuaire fluvial du monde. Ce nœud de communications est relié par le Rhin et la mer aux marchés du monde entier. Environ 50 millions de tonnes de marchandises y sont transbordées tous les ans. Un tuyau pour les noctambules: vu la nuit, le port prend un aspect romantique.

Fortschritt wurde in Duisburg schon früh großgeschrieben. Dieser neuromanisch gestaltete Trajektturm in Homberg diente Mitte des 19. Jahrhunderts als „Fahrstuhl“ für Eisenbahnwagen. Bereits im ersten Betriebsjahr wurden 47000 Waggons hydraulisch auf Fähren verladen. Heute dient der Turm als Jugendherberge.

Progress was written in capital letters in Duisburg at an early stage. This neo-Romanic railway ferry tower in Homberg served as an “elevator” for railway cars in the middle of the 19th century. Already during the first year of operation 47,000 cars were hydraulically loaded onto ferries. Today the tower serves as a youth hostel.

On accorda très tôt, à Duisburg, beaucoup d’importance au progrès. Cette tour de transbordement de style néo-roman, à Homberg, servait, au milieu de 19e siècle, d’«ascenseur» pour les wagons de chemin de fer. Dès sa première année de mise en service, 47000 wagons furent chargés hydrauliquement sur des ponts transbordeurs. Aujourd’hui la tour sert d’auberge de jeunesse.

Schwanentorbrücke verbindet Ruhrort mit City. Von hier starten auch die Boote zur ›nrundfahrt, die zu den eindrucksvollsten bnissen in Duisburg gehört.

The Schwanentor Bridge connects Ruhrort to the city center. This is also the starting point for boats doing harbor tours, certainly one of the most impressive experiences in Duisburg.

Le pont Schwanentorbrücke relie Ruhrort au centre ville. C'est d'ici que partent les bateaux pour la visite du port qui constitue une expérience très impressionnante.

Wie sehr zwei Flüsse den Rhythmus einer Stadt bestimmen können, erfuhr Duisburg schnell. Während die Ruhr (Foto oben: Schleuse) brav dahinfloß, verlegte der Rhein um 1200 sein Flußbett um rund drei Kilometer. Erst im 17. Jh. erholte sich die Stadt von dem starken wirtschaftlichen Rückschlag, als eine regelmäßige Handelsschiffahrt nach den Niederlanden begann.

Duisburg quickly found out how much two rivers can influence the rhythm of a city. While the Ruhr (photo above: locks) flowed along nicely, the Rhine displaced its river bed by roughly three kilometers around 1200. It was not until the 17th century that the city recovered from the great economic setback when regular merchant shipping to the Netherlands began.

Les deux fleuves déterminent le rythme de ville. Tandis que la Ruhr (photo ci-dessus: écluse) s'écoule tranquillement, le Rhin, v 1200, déplaça son lit de trois kilomètres. C n'est qu'au 17e siècle que la ville put se rét de ce désastre économique alors qu'une na tion régulière s'établit avec les Pays-Bas.

# Kirchen in Duisburg

Hätte den Turmwächter nicht bei brennender Kerze der Schlaf übermannt, wären die Duisburger vielleicht noch heute um eine Attraktion reicher. Doch im Jahr 1467 brannte ihr ganzer Stolz, der 106 Meter hohe Turm der spätgotischen Salvatorkirche nieder. Trotzdem blieb die Kirche eine der bedeutendsten des Niederrheins.

If the tower watch had not been overcome by sleep while a candle was burning, the people of Duisburg might still have one more attraction. In 1467, however, their pride and joy, the 106-meter-high tower of the late Gothic Salvator Church, burned down. Nevertheless, the church remained one of the most important along the Lower Rhine.

Si le veilleur de la tour avait éteint sa bougi
avant que le sommeil ne le surprenne, Duis
burg aurait peut-être encore de nos jours u
attraction de plus. En 1467 brûla le clocher
gothique de la Salvatorkirche, haut de 106
mètres, dont la ville était si fière. L'église r
cependant, l'une des plus importantes du b
Rhin.

In der Salvatorkirche erinnert ein Grabdenkmal an Gerhard Mercator, der in der zweiten Hälfte des 16. Jahrhunderts in Duisburg die moderne Kartographie begründete. Der Mann, der eigentlich Kremer hieß, seine Jugend in Flandern verbrachte und sich ganz der Erdkunde verschrieben hatte, bescherte der Welt ein Werk, das Pflichtlektüre jedes Schulkindes wurde: den „Atlas".

A tomb in the Salvator Church is in memory of Gerhard Mercator, who founded modern cartography in Duisburg in the second half of the 16th century. The man, whose name was actually Kremer, who spent his youth in Flanders and completely devoted himself to geography, presented the world with a reference that became required reading for every school child: the "Atlas".

Dans la Salvatorkirche un monument funéraire à la mémoire de Gerhard Mercator rappelle le fontateur de la cartographie moderne qui vécut à Duisburg dans la 2e moitié du 16e siècle. Il s'appelait, en fait, Kremer et avait passé sa jeunesse dans les Flandres. Il s'était dédié tout entier à l'étude de la terre et nous lui devons une œuvre qui est devenue une lecture obligatoire pour tous les écoliers: l'«Atlas».

Nur Fundamente aus dem 13. Jahrhundert zeugen noch von der Minoritenkirche, die im Zweiten Weltkrieg in Flammen aufgegangen ist. An ihrer Stelle wurde 1959–1961 die Karmelkirche errichtet.

Only 13th century foundations still remain of the Minorite church that went up in flames during World War II. The Karmelkirche was constructed in its place from 1959–1961.

Seules les fondations du 13e siècle de l'égl des Minorites ont subsité. Elle disparut da flammes pendant la Deuxième Guerre Mo diale. Sur son emplacement fut construite 1959–1961 l'église du Carmel.

St. Dionysius im Stadtteil Mündelheim gehört zu den „überlebenden“ Sakralbauten. Anfang des 13. Jahrhunderts entstanden, überrascht die Pfeilerbasilika mit wunderbaren Holzskulpturen und dekorativer Farbfassung des Innenraumes.

St. Dionysius in the city district of Mündelheim is one of the “surviving” sacral edifices. Built at the beginning of the 13th century, the buttressed basilica astronishes one with its marvelous wood sculptures and decorative coloring of the interior.

L’église St. Dionysius dans le quartier de Mündelheim fait partie des édifices sacrés qui ont survécu à la guerre. Elle fut exécutée au début du 13e siècle et son intérieur étonne le visiteur avec ses merveilleuses sculptures sur bois et le jeu décoratif des couleurs.

chnörkelt geht es in Duisburg-Rahm zu: Die ·kirche St. Hubertus wurde 1922–1925 ıs im Stil des Neobarock errichtet, um der rbenen Rokoko-Ausstattung einer anderen ıe den passenden Rahmen zu geben. Die Altäre, die Kanzel und der Figurenbaldastammen aus dem Ende des 18. Jahrhun-
.

Ornate is an apt description of Duisburg-Rahm: The parish church of St. Hubertus was constructed specifically in neo-baroque style from 1922–1925 thus providing a suitable setting for the rococo furnishings acquired from another church. The three altars, the pulpit and the baldachin with figures date from the end of the 18th century.

A Duisburg-Rahm on aime les fioritures. L'église St. Hubertus fut construite en 1922–1925 dans le style néo-baroque pour abriter les œuvres rococo d'une autre église et leur donner un cadre adéquat. Les trois autels, la chaire et le baldaquin à personnages datent de la fin du 18e siècle.

Im romanischen Kreuzgang wandeln können Besucher in Hamborn. Das Relikt aus dem 12. Jahrhundert gehörte einst zur Kirche einer Prämonstratenser-Abtei, die 1805 aufgehoben wurde.

Visitors to Hamborn can stroll in the Romanic cloister. The relic from the 12th century once belonged to the church of a Premonstrant abbey, which was closed in 1805.

Les visiteurs à Hamborn peuvent se prome dans le cloître roman du 12e siècle. Il faisa jadis partie d'une abbaye de l'ordre de Pré tré qui fut désaffectée en 1805.

über den idyllischen Altmarkt in Hamborn
ndert und dabei nach einem Strauß Blumen
chau hält, sollte nicht dem Verdacht erlie-
hier stehe die Zeit noch still. Im Gegenteil:
die Ecke steht die August Thyssen-Hütte,
rößte Stahlwerk Europas.

If you stroll across the idyllic Altmarkt (Old Market) in Hamborn looking for a bunch of flowers, don't fall prey to the suspicion that time stands still here. On the contrary: Just around corner is the August-Thyssen- Hütte, the largest steel mill in Europe.

Qui flâne sur l'idyllique Vieux Marché à Hamborn tout en cherchant un bouquet de fleurs, ne devrait pas être victime de l'illusion qu'ici, le temps s'est arrêté. Bien au contraire, près de là se trouve l'usine d'August Thyssen, la plus grande fonderie d'Europe.

# ɪas Freizeit-Revier

ıßt sich leicht an Duisburgs grüne Seite
en. Zum Beispiel im Botanischen Garten
s) oder im Revierpark Mattlerbusch. Hier
sonders der Kinderbauernhof beliebtes
lugsziel.

It is easy to get closer to Duisburg's green side. For example, in the Botanical Gardens (on left) or in Revierpark Mattlerbusch. The children's farm here is a particularly popular excursion point.

A Duisburg il est facile de s'évader dans les espaces verts, dans le jardin botanique, par exemple (à gauche), ou dans le parc de Mattlerbusch. Dans ce dernier la ferme des enfants est un lieu d'excursion très populaire.

Mitten im Wald- und Erholungsgebiet Kaiserberg liegt der Zoo, einer der faszinierendsten auf dem Kontinent. Er ist berühmt für seine Menschenaffenanlage, sein Delphinarium und das Walarium, wo man die einzigen weißen Wale Europas zu sehen bekommt.

In the middle of the Kaiserberg forest and recreational area is the zoo, one of the most fascinating on the continent. It is famous for its ape section, its dolphinarium and the whale section, where you can see the only white whales in Europe.

Au milieu de la forêt de Kaiserberg se trou zoo, l'un des plus fascinants du continent. célèbre, en particulier pour ses grands sing ses dauphins. On peut y voir aussi les seule baleines blanches d'Europe.

'ierpark ist ein Winkel von 5000 Quadrat-
ɜrn Fernöstlichem reserviert: Der erste
ɪal chinesische Garten der Bundesrepublik
ɜte 1988 seine Pforten. Der „Garten des
ɪichs“ ist ein Geschenk der Industriestadt
ɪan, mit der Duisburg seit 1982 eine Städte-
ɪerschaft unterhält.

There is a spot in the zoo having an area of 5000 square meters that is reserved for the Far East: The first original Chinese garden in the Federal Republic of Germany opened its gates in 1988. The "Garden of the Crane" is a gift from the industrial city of Wuhan, a partner city of Duisburg since 1982.

Dans le zoo il y a une surface de 5000 $m^2$ réservée à l'Extrême Orient: le premier jardin chinois authentique de la République Fédérale ouvrit ses portes en 1988. C'est un cadeau de la ville industrielle de Wuhan qui est jumelée avec Duisburg depuis 1982.

G-3

t- und Musikfans kommen in Duisburg nicht ırz. Auf der Sechs-Seen-Platte haben Surfer Segler ihr Revier (links), nebenan im tpark Wedau lockt das Freizeitparadies mit nternational bekannten Regattabahn für rer. Moers dagegen hat sich mit seinem ichen Jazz-Festival einen Namen gemacht n: Häuser am Altmarkt).

Sports and music fans in Duisburg do not come off badly by any means. Wind-surfers and sailing enthusiasts have their territory at the Sechs-Seen-Platte, and Sportpark Wedau there is the attractive recreational paradise with its internationally known regatta course for rowers. Moers, on the other hand, has made a name for itself with its annual jazz festival (above: houses at Altmarkt).

A Duisburg les amateurs de musique et de sport sont comblés. Sur la Sechs-Seen-Platte on s'adonne au surf et à la voile. A côté, le parc de Wedau est un paradis des loisirs. Sa voie de régattes pour la rame est connue dans le monde entier. Moers, par contre, s'est fait un nom avec son festival annuel de jazz (ci-dessus: maisons sur le Vieux Marché).

Die Reste einer mittelalterlichen Wasserburg dienen in Moers als Grafschafter Heimatmuseum. Neben den Sammlungen von Möbeln, Hausgeräten und Textilien hat es Schloß Moers auch sonst in sich: Im Keller residiert das experimentierfreudige Schloßtheater.

The remains of a medieval castle surrounded by water serve as the Grafschafter museum of local history in Moers. In addition to the collections of furniture, home appliances and textiles, Schloß Moers has other things to offer: In the basement is the experimental Schloßtheater.

Les vestiges d'un château médiéval à Moei abritent le musée régional. Le château de Moers a plus à offrir que des collections de meubles, d'ustensiles ménagers et de textil Dans la cave s'est installé le Théâtre du Ch teau, une scène où l'on a plaisir à expérime

30 Jahren war Dinslaken Treffpunkt für
tvieh-Händler. Heute kommen Gäste eher
'ferde wegen – beim Trabrennen auf der
gen Halbmeilenstrecke der Bundesrepublik.
sie pilgern zur Wassermühle in Hiesfeld
em 18. Jahrhundert, einer der Schätze aus
'ergangenheit, die sich Dinslaken bewahrt
Foto).

80 years ago Dinslaken was a meeting-place for traders of breeding animals. Today guests come more because of the horses – for the trotting races on the only half-mile course in the Federal Republic of Germany. Or they make their way to the water mill in Hiesfeld dating from the 18th century, one of the treasures from the past that Dinslaken has retained (photo).

Il y a 80 ans, Dinslaken était un lieu de rencontre pour les éleveurs. Aujourd'hui les visiteurs viennent plutôt pour les courses sur la piste de trot, la seule de la République Fédérale qui ait une longueur d'un demi-mille. Ou bien ils se rendent au moulin d'Hiesfeld datant du 18e siècle. Dinslaken a préservé ce trésor du passé (photo).

# Chronik

**883**
Eroberung und Plünderung durch die Normannen.
**10. Jahrhundert**
Königshof „Thusberg“ wird zum Schutz des Handels zur Königspfalz ausgebaut.
**12. Jahrhundert**
Duisburg wird Reichsstadt.
**1200**
Rhein verlagert Flußbett; schwere wirtschaftliche Einbußen.
**1290**
Verpfändung an die Grafen von Kleve.
**Ab 14. Jahrhundert**
Mitglied der Hanse.
**1552–1594**
Mathematiker und Astronom Gerhard Mercator lebt bis zu seinem Tod in Duisburg.
**1595**
Mercators Kartenwerk „Atlas“ wird herausgegeben.
**1655**
Gründung der Universität.
**1674**
Regelmäßige Handelsschiffahrt nach den Niederlanden.
**1716**
Bau des ersten Hafens in Ruhrort.
**1818**
Verlegegung der Universität nach Bonn.
**1831**
Bau des Außenhafens.
**1881**
Geburt des Bildhauers Wilhelm Lehmbruck.
**Ende 19. Jahrhundert**
Bergbau und Eisenhütten halten Einzug.
**1902**
Bau des Rathauses.
**1905**
Zusammenschluß mit Ruhrort und Meiderich.
**1929**
Zusammenschluß mit Hamborn.
**1962**
Bau der Mercatorhalle.
**1972**
Eröffnung der neuen Universität.
**Ab 1981**
Stadtbahn-Bau, dabei Ausgrabungen aus dem Mittelalter am Alten Markt.
**1988**
Eröffnung Chinesischer Garten.

# Chronicle

**883**
Conquest and plundering by the Normans.
**10th century**
Royal court of “Thusberg” is rebuilt into a royal palace for the protection of trade.
**12th century**
Duisburg becomes a free city of the Holy Roman Empire.
**1200**
Rhine displaces its river bed; heavy economic losses.
**1290**
Ceded to the counts von Kleve.
**As of 14th century**
Member of the Hanseatic League.
**1552–1594**
Mathematician and astronomer Gerhard Mercator lives in Duisburg up to his death.
**1595**
Mercator’s cartographical work, the “Atlas”, is published.
**1655**
Founding of the university.
**1674**
Regular merchant shipping to the Netherlands.
**1716**
Construction of the first habor in Ruhrort.
**1818**
Relocation of the university in Bonn.
**1831**
Construction of the outer harbor.
**1881**
Birth of the sculptor, Wilhelm Lehmbruck.
**End of 19th century**
Coal mining and iron and steel works move in.
**1902**
Building of Town Hall.
**1905**
Consolidation with Ruhrort and Meiderich.
**1929**
Consolidation with Hamborn.
**1962**
Building of Mercatorhalle.
**1972**
Opening of new university.
**As of 1981**
Construction of urban highway, during which there are excavations from the Middle Ages at Alten Markt.
**1988**
Opening of Chinese Garden.

# Histoire

**883**
La ville est prise et pillée par les Normans.
**10e siècle**
La résidence du roi à «Thusberg» est forti
pour la protection du commerce.
**12e siècle**
Duisburg devient ville libre impériale.
**1200**
Le lit du Rhin se déplace. Grandes pertes économiques.
**1290**
La ville est donnée en gage aux comtes de Clèves.
**A partir du 14e siècle**
Membre de la Hanse.
**1552–1594**
Le mathématicien et astronome Gerhard Mercator vit à Duisburg jusqu’à sa mort.
**1595**
Publication de l’œuvre cartographique de Mercator: l’«Atlas».
**1655**
Fondation de l’université.
**1674**
Commerce fluvial régulier avec les Pays-B.
**1716**
Construction du premier port à Ruhrort.
**1818**
L’université est transférée à Bonn.
**1831**
Construction de l’avant-port.
**1881**
Naissance du sculpteur Wilhelm Lehmbru
**Fin du 19e siècle**
Extraction du charbon et fonderies.
**1902**
Construction de l’hôtel de ville.
**1905**
Fusion avec Ruhrort et Meiderich.
**1929**
Fusion avec Hamborn.
**1962**
Construction du Mercatorhalle.
**1972**
Ouverture de la nouvelle université.
**A partir de 1981**
Construction du train urbain et excavation
vestiges médiévaux sur le Vieux Marché.
**1988**
Ouverture des Jardins Chinois.